손설강과 가족이 모여

디카시집 "디카시 가족"을 냈습니다

커피 한 잔의 여유로운 시간 되세요

1판 1쇄 발행 ┃ 2024년 1월 10일

저 자 ┃ 손설강 외 5인
편 집 ┃ 이재철
엮은이 ┃ 이재철 손설강
펴낸곳 ┃ 도서출판 흐름

출판사등록번호 ┃ 경기 남양주 제 399-2023-000027호
등록일 ┃ 2023년 3월 22일
주 소 ┃ 경기도 남양주시 화도읍 비룡로 186
전 화 ┃ 010-5257-1254
이메일 ┃ ejc1057@naver.com

ISBN ┃ 979-11-982864-6-8
가격 14000원

흐름 06
The D-Carthy family

디카시가족

손설강 외 5인

손설강

이재철

이국종

최소희

이지성

이민주

도서출판 흐름

"가족과 기적이란 낱말이 비슷한 이유가 있겠죠." 늦가을 단풍 속에서 남편과 나눈 오늘의 화두였습니다. 세상에서 가장 따뜻한 낱말은 '가족'이 아닐까 싶습니다. 맛난 음식, 좋은 풍경을 보면 가족과 나누고 싶어지는 이유입니다. 『가족사진』에 이어 『디카시 가족』 우연찮게 올해만 두 권의 가족 디카詩집을 내게 되었습니다.

남편과는 바늘과 실처럼 같이 다니다 보니 자연스럽게 디카시 부부가 되었지만 애들 키우고 사느라 바쁜 아들 며늘도 '문학 새싹'이란 디카시 밴드를 만들어놓고 글을 쓰고 있었습니다. 둘이서 댓글로 의견을 주고받는 걸보며 '가화만사성'이란 고사성어가 떠올랐습니다.

저학년인 손자 손녀도 조부모와 여행을 다니더니 서당 개 삼 개월이었습니다. 전국 디카시 공모전에 수상도 했습니다. 그 후부터 우리 손녀의 꿈은 시인이랍니다. 어찌하다 보니 디카시가 우리 가족 일상 속으로 깊숙이 들어와 있었습니다. 스스로 독려하기 위해 디카시 130편, 동시 3편을 추려보았습니다.

디카시는 8세부터 80대까지 함께할 수 있는 문학입니다. 반려자와 같이하는 진정한 반려문학을 완성한 느낌이다. 디카시로 소통하는 가족이 많아지면 좋겠습니다.

손설강 시인

디카+詩는

 디지털카메라와 시(詩)의 줄임말로, 스마트 폰 등으로 자연이나 사물에서 시적 형상을 포착하여 찍은 사진과 문자를 함께 표현한 시다. SNS를 통해 자신의 생각을 사진과 함께 실시간으로 공유해 순간의 시적 감흥을 담는 것이 특징이다.
반드시 본인이 찍은 사진이어야 하며 5행 이내여야 한다.
사진을 설명하는 글이거나 사진 위에 언술을 입히면 안 된다.

 2024년은 경남 고성에서 발원한 디카시 운동 20주년이다. 이미, 중 고등학교 검정교과서에 수록된 바 있으며 대학의 교양과정이나 전공과정에서도 디카시를 가르치고 있다. 근자에는 한국을 넘어 세계로 한글과 한국문학을 알리는 글로벌문화 콘텐츠로 도약했다.

−이상옥 (한국디카시연구소 대표, 창신대 교수)

■ 차 례

1부 손설강

필명: 손설강(雪江)

2001 《한맥문학》 수필 등단.

2002 《문학공간》 시 등단.

2023 《시와 편견》 디카시 등단.

2006 최명희 혼불상 으뜸상.

2019 중랑문학상 수필 대상.

2022 전국 석정문학상 디카시 최우수상 외, 다수

저서: 수필집 『물음』 시집 『뚜껑』 『옴파로스』

디카시집 『오늘은 디카시 한잔』 『가족 사진』

『이상한 가족』 외, 공저 다수

논술학원 지혜의 숲 신내센터 원장.

한국문인협회 서울 중랑지부 이사.

한국디카시인협회 서울 중랑지회장.

(본명: 손귀례)

Email:edu4199@hanmail.net

■ 손설강

시혼詩魂

지우고 비우고 버렸으나
마지막까지 버리지 못한
나의 베아트리체

시인이 되길 잘했어

붓 한 자루로
그림자에 싹을 틔우고
꽃도 피워 올려 향기도 매달고
새도 불러들여 사랑을 노래하는 神

공모전

하많은 날을 갈고닦은
탱글탱글한 열망들
하늘 높이 떠오를
애드벌룬 몇 개

거인의 어깨

첫 등굣길
가방 가득 등에 메고 한껏 부푼 꿈

오빠를 꼭 잡은 야물딱진 손 좀 보소

화수분

너나없이 고달팠던 시절
쌀 보리가 졸졸 나왔으나

오늘은
꽃이 술술 쏟아지는 화려강산

은유법

속내를 다 드러내면
안 된다는 걸
시를 쓰면서 알게 되었습니다

피였습니다

프롤레타리아들의 피울음입니다

이데올로기가 아닙니다

넌 잘 될 거야

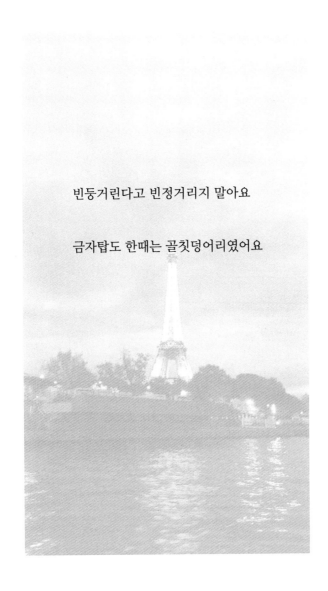

빈둥거린다고 빈정거리지 말아요

금자탑도 한때는 골칫덩어리였어요

역병은 살아있다

'코비드-19' 물러났다고

무방비 상태신가요

동상이몽

나는 포로가 아닙니다

대영박물관의 주인입니다

밀로의 잔다르크

펠로포네소스 전투에서

두 팔도 잃고 단추도 잃었소

내 팔을 돌려주시오

표정을 읽다

천금 보화와도 견줄 수 없는

한국의 미래,

벌 나비도 잠깐 자리를 내주었다

개선문

개선장군처럼

당당하게 걸어 나왔다

내가 전생에 나라를 구한 것 맞다

어느 여교사 죽음

겹겹이 삭힌 붉은 설움
저 보드라운 꽃시울이

뜨거운 눈시울일 줄이야

충정忠情

살다 보면 해괴한 일도 겪지만
살아내야 하는 이유는
백 가지도 넘습니다

왜

바다도 후적거려 놓더니

이제 하늘까지 들락달락

왜~

왜~

왜야

반 고흐의 자화상

노란 밀짚모자 속에 갇힌 형형한 눈빛

황금들판을 황금보다 더 사랑한

美친 예술가여

세종로 포토존

언뜻 보면 모른다
현대인이 얼마나
고독하고 외로운지

군중 속 고독

축하 메시지가 쏟아지고
빨간 하트도 넘쳐 나지만
밥 한 끼 같이 할 사람 없어서

효녀 심청

심청이

인당수를 향해 디뎠던

걸음마다 꽃이 피었다

리본체조

팬데믹 너머 보이는 붉은 기호

빨리 간다고 빨리 닿는 게 아니었어

천천히 엉키지 않게, 원을 그리듯

지상의 언어

당신께서 온몸으로
그려놓은
비언어적 알고리즘 하나

아버지의 초상

틀니 생각은 해 본 적도 없습니다
뼈가 부서지게 일해도 되는 줄 알았습니다
69세면 살만큼 산 세월인 줄 알았습니다

별 반납 사건

남들이 우러러보는
스타가 꿈이었지요

그런데 그리하여
자유를 잃어버리고 말았지요

월척

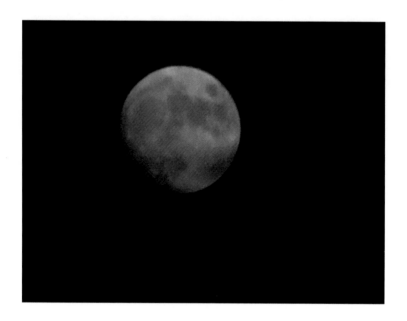

디지털 신식 장비 덕에 대박 났어요

디카詩 손맛은 어쩌구요

디카詩 부부

황혼에 만난 詩놀이,

일주일이 빨주노초파남보

반려문학 두 배로 즐기는 중

2부 이재철

이름: 이재철
저서: 디카시집 『흐름』
공저: 『사방팔방』 외
〈디카시 마니아〉 회원
한국디카시인협회 서울중랑지회 이사
「도서출판 흐름」 대표

e mail: ejc1057@naver.com

■ 이재철

놓지 말아야 할 끈

갈 길은 보이지 않고
몸은 지쳤다

그래도 살아야 한다

삶은 이렇게

가지고 있어도 내세우지 않고
알고 있어도 들어내지 않으면

꼬투리 잡히지 않는다

여보야, 설산 가자

선경인가 하면 설경이고
비경인가 하니 절경이네

설명이 필요없는 매듭 달

토굴로 간 새우

고명처럼 돋보이는

삶이 아닌

스며드는 삶을 위하여

혹여라도

필筆이라 쓰고

남에게
상처를 주지 않았는지

되돌아본다

조선의 성모

기도하는 줄 알았습니다

자신을 불태워 주변을 밝히는
등잔 심지가
여인의 굳은 심지로 보입니다

소확행

행운을 바랄 것 인가
행복을 누릴 것 인가

누가 뭐라해도 난
행복을 택할 것이다

벽을 만나다

마주서니 너무 높다
막막함과 좌절이 앞선다

하지만
등 뒤에 두면 기댈 수 있어 좋다

왜곡

-두 줄이었어

-아니야 한 줄이었어

-자, 이리와 봐 두 줄이잖아

그대와 약속

젊은 날의 약속 이루었으니
또 뭘할까 생각 중

해를 따 오라면
어떡하지

우리 사이

너와 나에게 선은 존재하지
넘어서면 금새 잊혀질 거야

더 멀어지기 전에 어서 멈춰

명문가

뼈대가 있는 것은

죽어서도 값이 다르다

텃밭 홀릭

아내는 여름 내, 고구마 줄기를 볶고
김치 담궈 입맛을 돋우더니

손자는
줄줄이 달려나오는 고구마를 보자

-난 커서 농사 사장 될거야

진자리

맛난 것 좋은 것 자식 주고
진자리 마다하지 않던

어머니를 따라 합니다

설정(雪情)

날마다 아내와 산책을 한다

젊어선 상상도 못했을 호사다

각자의 색을 뺀 하얀 겨울이 좋다

보물지도

누구나 갖고 싶은 꿈

이미 와 있다는 걸
사십 년이 지나서야 알았네

땅 사용 설명소

텃밭에서 따온 건강한 채소
황제의 식탁이 부럽지 않소
탱자탱자 놀던 땅
현명한 땀방울로
다시 태어났소

00요양원

이제 오나 저제 오나

목 길게 빼고
자식 기다리는 마음

애가 탄다

고향 생각

난
파충류인가 사우루스인가

내 살던 곳
쥐라기인가 백악기인가

파란만장

수 없는 날을 힘들게 지내왔지
이제 자식 거느리고 영화를 볼 텐데
몸은 병들고 옛 모습 어디 갔나

오호라 사는 게 그런 거지

왠지

옆구리가 시리다

하지만 실망하지 않는다
채워 질 거니까

구름에 실어 줄 것들

가난도 짐이고 부유도 짐이다
질병도 짐이고 건강도 짐이다
책임도 짐이고 권세도 짐이다

짐 아닌것 없으니 실어 보내자

황혼

열정이 넘칠 때는
뜨거웠지만

지금은
주변을 물들이지

어버이 날

구부정한 허리
백발 성성 해도

손주들 재롱에
미소가 번진다

빛을 찾아서

한 발

한 계단

걷고 오르다보면

분명 다다를거야

3부 이국종

어반스티치 대표

■ 이국종

하늘 빛 바다

몸과 맘이 지칠 무렵 마주한

아름다운 석양

밝은 내일을 기약하며 오늘도

쉼 없이 살아내는

인생 2막

직진뿐이었던 삶에

차원의 문이 열리고

억눌렸던 나의 색을 뽐내본다

영웅담

내가 전생에 나라를 구한 줄 알았는데

지금 보니, 지구를 구한 게 틀림없다

추억 맛집

규칙따위 없어도 공정했던
그 여름 바다의 밀당 놀이

잘한다. 이렇게 또 자란다

복수

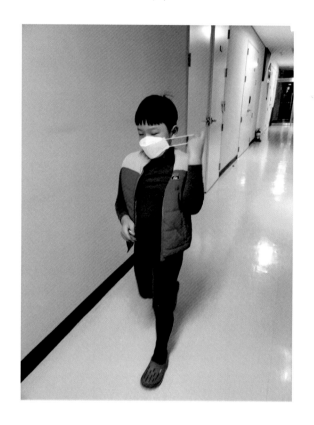

공존을 위한 대자연의 강력한 한 방이
인간의 의지 앞에 또 한 번 무릎을 꿇는다
이제 우리는 회복되고
너희가 아플 시간이다

딸 바보

-딸 고마워
아빠 딸이 되어줘서

-아빠 괜찮아
나도 태어나고 보니깐
아빠 딸이더라

푸른 지옥

아이들에겐 그저 그랬던
어느 개미의 작은 몸부림
평범했던 우리 일상 속
싱겁게 끝나버린 죽음의 쇼

계묘년

기울어진 운동장의 관중석은
이상함을 눈치 채지 못 한다

모두 함께 일어날 때 비로소
세상을 바로 볼 수 있다

천사의 무게

-아빠도 타봐 날아갈 것 같아

-우리 딸처럼 순수 해야 탈 수 있대

-그게 담배 좀 끊으라니깐

봄꽃의 비상

따스한 햇살 시원한 바람

하늘빛 날갯짓으로
날아오른다

샤이닝 스타

아는만큼 보이고
아는만큼 예쁘다

영문을 모르는 아기 꽃도
오늘만큼은 영탁 안부럽다

작업 중

올 겨울 밑색이 좋구나
내년 봄엔 밝은 초록물감을
준비해도 되겠군

산과 물의 노래

혹한의 추억을 간직한 채
잠시 멈춘 세상 만물의 연주

기다리다 잠들어버린
고요한 아침의 숲

광란光卵의 밤

찬란한 달빛에 목련처럼 날아서

아침 이슬에 나비처럼 떨어진다

유별난 가족

온통 O형뿐인 3대

반짝이는 별을 낳아
저 하늘에
웃음 꽃 한송이 피워본다

기쁜 날

비게인 촉촉한 아침
물과 빛의 파티가 한창이다
가지마다 번개춤을 덩실덩실

더도말고 덜도말고
오늘만 같기를

도루 돈가스

얼마나 애타게 찾아 헤매었던가
추억 한입 입에 물고 회상에 잠긴다

왜 이제야 알았을까
내가 찾던 그 맛은

그 시절 배고픔이었다는 것을

마지막 기회

저마다 이륙 준비에 분주하다

살아남기 위해 사라지는 것들

모세의 기적

너와 내가 걷는 이 길은
아름다운 산책인가
갈대의 이별인가

백白문이 불여일견

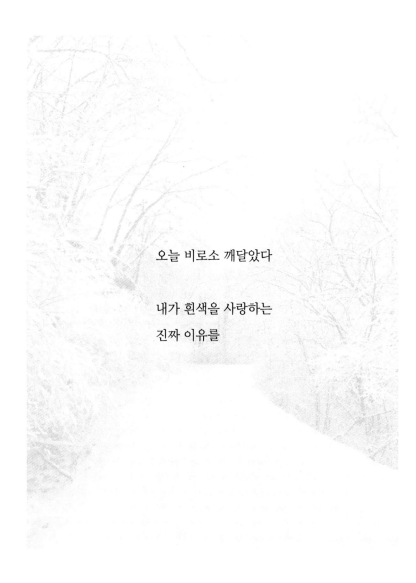

오늘 비로소 깨달았다

내가 흰색을 사랑하는
진짜 이유를

십자꽃

믿음을 강요하지 않는다

설교도 필요 없다

자연은 이렇게 자연스럽다

어울림

눈은 눈이요

꽃은 꽃인데

마치 하나였던 것처럼

눈(雪)을 뗄 수 없구나

소복素服

당연한 듯 돌아와 준
소복한 눈꽃을 본다

다행이다
봄을 기약 할 수 있어서

박리다매

뭣이 중 헌디

어여 물어들 가
오늘 공짜야

하늘과 땅 차이

하늘로 가셨다기에
아득히 먼 곳에 계신 줄 알았습니다

곁에 있을 것 같은 당신 생각에
눈물 담은 미소를
잠시 지어봅니다

4부 최소희

무지크 대표

■ 최소희

민심

너도나도 가시가 났다
숨죽인 마음 언제 터질까
기다림이 화일지 복일지
마음 조려본다

슬기로운 생활

다슬기를 잡다보니

괜한 돌만 한아름

진품명품

그 흔해 낡아빠진 상다리를

여기서 보게 될 줄은

그땐 몰랐지

낙오자

반쪽 찾는 길
엇갈림에
혼자의 시간에 멈춰버린 시계

지킴이

언제나 창문 앞을 지키던 자전거

여전히 그자리인데

아빠의 빈자리만큼 녹이 슬었구나

탈모 꽃

사막에서 만난 오아시스
저 숲에는 어떤 모험이 기다릴까

설레임 반 두려움 반
이것 또한 행복이겠지

해맑음

오늘보다 내일이 더 힘들거야

딱 오늘만 같기를

촛대

향초가 타버렸다

더는 붙잡을 수 없는
인연인가

미키와 마우스

디즈니랜드는

티켓 사서 들어가야만

되는 곳이 아니야

특별 출현

매년 올려다 봐도

매년 설레는 님아

못봤음 서운할뻔

내 만족

높고 높은 이곳에 가면

기력 명당

자식

무엇을 위해
온몸으로 길을 안내하니
너에게 아픈 손가락인거니

숨바꼭질

무얼 이야기하고 싶은 거니

숨어 있으면
너의 마음을 알 수가 없단다

토라짐

밥상머리 교육이라 하였는데

덜 배운 티를 낸다

축제

낙을 잃고 희망도 없지만
널 보면 기운이 날까 왔다

내 기분만큼이나 너희도 초췌하구나

의욕

쳇바퀴야

집에 좀 데려다주렴

다리가 끊어질 것 같구나

출가

두번의 가을
내키지않는 발걸음
생의 끝은 자연의 품이길

미덕

무더위 속
한땀 한땀 아름다운 색채
불과 물의 끝없는 조화

금수강산

강물을 바라보다

강산에 반했다

특별한 날

카네이션 받을 양손과 양팔엔
넘쳐나는 바늘로

드릴수도 볼수도 없는
출입금지 제한이 야속하구나

현모

한결같이 키우려니

점점 무뎌간다

5부 이지성

안양 연현초등학교 4학년

■ 이지성

우리 할머니

할머니는

할아버지한테도 지성아
아빠한테도 지성아
동생한테도 지성아

*23년 남양주 디카시 공모전 학생부 장려상

사랑 끄럼틀

사랑은

누구에게나 갈 수 있다는
비밀을 알아요

스마트폰

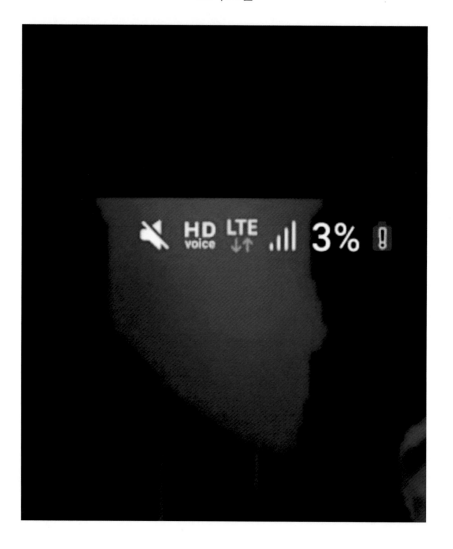

휴대폰은 상당히 힘들겠다
하루 종일 손에게 붙잡혀 나오지 못 한다

오늘도 겨우 겨우 전기를 먹으며 쉬고 있다

핸드폰 실종 사건

물레방아가 핸드폰을 덥석 잡았다
휴~ 물이 없어서 다행이다

물레방아도 심심한가보다

나는 튜브예요

사람들이 나를 바퀴로 만들어

타고 다니니 너무 아파요

내가 태어난 곳으로 가고 싶어요

엄마가 보고 싶어요

몰라

물은 왜 물이야?
불은 왜 불이야?
풀은 왜 풀이야?

왜 묻냐고?
그 건 나도 몰라

섬

섬은 사람이 싫은가봐

왜냐하면 떨어져 있잖아

사람과 섬이 어떻게 친해질 수 있을까

사람이 길을 만들면 될 것 같아

소낙비

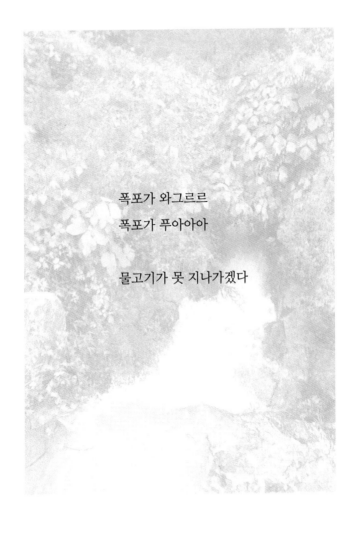

폭포가 와그르르
폭포가 푸아아아

물고기가 못 지나가겠다

강아지 똥이 피었어요

왜 저 풀만 유난히 클까

아차 !
강아지가 똥을 싸고 갔구나

나무 친구

우리는 사이가 좋아
같이 바람도 쐬고 같이 물도 마셔

우리는 사이가 안 좋아
바람도 따로 쐬고 물도 따로 마셔

나뭇가지

왜 부러졌을까

눈이 오나 비가 오나
돌에 계속 누워 힘들었겠다

담벽에서

꽃들이 자전거를 타고

여행을 가려고 기다리고 있다

빨간 잎

아주아주 화가 많이 났네

동생이랑 다투고

엄마한테 야단맞았구나

서리태 꽃

노란 꽃이 방긋방긋
잘자란 풀이 기쁨기쁨
향기 좋은 냄새는 힘이나고
꽃과 풀과 향기가 합쳐진 서리태 꽃

소년문학 통권356호 · 2022년 7월(매월 1일 발행) · 1990년 5월 7일 등록 라4603) 제3종우편물인가 나급 1991년 7월 11일 ISSN 1227-1764

월간

소년문학

2022 **7**

통권 **356**호

소년문학사

9 771227 176007
ISSN 1227-1764
값 10,000 원

6부 이민주

안양 연현초등학교 2학년

■ 이민주

철로

칙칙폭폭

줄서고 어디 갈까?

2023년 이형기시인 문학제 전국학생 디카시백일장 차하

아기별꽃

예쁘다
참 예쁘다

나처럼

나무와 꽃

봄아 고마워 꽃이 피게 해줘서

봄아 사랑해 나무가 웃게 해줘서

봄아 미안해 눈이 내려서

쑥

쑥은 아무데서나

쑥 쑥! 잘 자라서

쑥인가 봐요

사랑하는 마음

아가야 울지마
오빠가 놀아줄게

아가야 울지마
오빠가 지켜줄게

엄마 품

엄마가 아가를 낳으면
아가가 생겨서 안아줘
엄마와 아가는 포근하겠지

호박치마

호박들아

예쁘게 단장하고 어디 가니

태양꽃

붉은 태양이

함께 있으면 어떻게 될까

불쌍해라

집 밖으로 나가고 싶지?

창밖으로 얼굴 내밀다가
고개가 뚝

2023년 남양주 디카시 공모전 학생부 우수상

달콤하구나

먹음직스러운 체리

아까워서 어찌 먹을까

귀여운 아가

귀여운 아가야 엄마 왔다
우유줄까?

귀여운 아가야 엄마 왔다
놀아줄까?

그렇게 하지 마

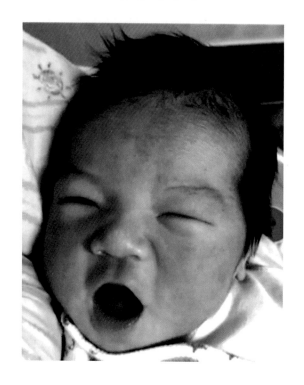

너는 귀여워

하지만 활짝 웃어봐
방금처럼

상상

동굴 속에 귀신이 있을까?

동굴 속에 괴물이 있을까?

솔잎 이슬

이슬 이슬 은방울
참 이슬다운 이슬들
여름이 겨울 같구나

겨울은 여름 같겠지

너희들은

같이 모여 있는 모습이
정말 아름답구나

나랑 같이 놀면 안 되겠니

손

꽃을 사랑하는 손, 꽃을 꺾는 손
포켓몬카드 교환하는 손, 몰래 가져가는 손
사과하는 손, 사과 안 받아주눈 손
빼앗아 먹는 손, 양보 하는 손

제 1회 전국 지역사랑 사진시 공모전 대상 당선작

162

엄마한테 야단을 맞아 울고 있었는데, 엄마가 무슨 전화를 받고 나서 활짝 웃으면서 저를 달래주었습니다.
제가 글짓기 상을 받게 되었다고 했어요.
제 손이 가장 행복해 할 때는 엄마랑 같이 꼭 껴안고 있을 때랍니다.
글을 쓸 때는 손가락이 아팠는데, 상장을 받으면 제 손도 좋아할 것 같아요.

♣ 이민주

안양 연현초등학교 1학년

아파요

쑥!쑥! 화살이 많이 꽂혀
아야아야~
기다려봐 내가 뽑아줄게

통로

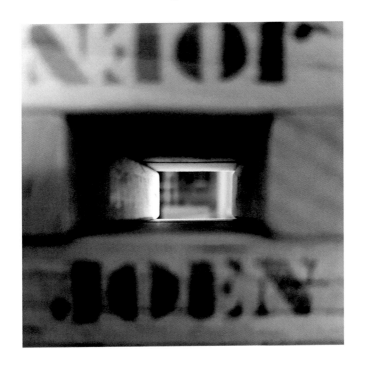

어디로 갈지

내 몸속도 치료 할테야

바람의 마음

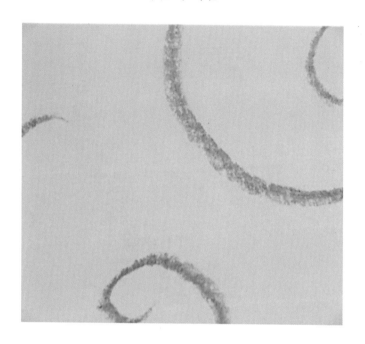

바람이 우울하면 홍수가 나요
바람이 화나면 겨울이 되어요

바람이 신이나면 우리도 좋아요

의자

안양연현초등학교 3학년

이 지 성

꽃받침은 꽃의 의자다
꽃을 받쳐주니까

땅은 최고로 큰 의자다
아파트, 공항, 동물, 나무, 바다를
받쳐주고 있으니까

땅의 의자는 지구가 아닐까
지구가 땅을 받쳐주고 있으니까

우주는 모든 것들의 의자가 되겠다

그런데 가장 소중한 의자는 가족이다

〈 2022년 남명 전국 청소년 백일장 장원〉

통일의 끈

안양 연현초 4학년

이지성

어부는 끈을 보고
그물을 만들었대요.

우주비행사는 끈을 보고
산소통 줄을 만들었대요.

의사는 끈을 보고
링거 줄을 만들었대요.

끈은 줄이에요
가족은 탯줄로 연결되어있고
민족은 핏줄로 연결되어있어요.

-제 7회 「정전 70주년 평화통일 위한 우리의 다짐」
전국문예대전 작품 공모 "금상"

내 생일 날

안양 연현초등학교 1학년
이민주

예쁜 꽃처럼 웃고 있는 우리 엄마

맑은 풀잎처럼 웃 고있는 우리 아빠

웃는 사진처럼 웃고 있는 우리 오빠

화낼 때도 웃고 있는 우리 할아버지

환하게 웃고 있는 우리 할머니

푸른 하늘처럼 웃고 있는 나

2022년 4월

수학시간

안양 연현초등학교 2학년

이민주

가르침+가르침+가르침

+글쓰기+글쓰기+글쓰기

+편집+편집+이쁨+멋짐

+큰웃음+대화+책+책

+디카시+디카시+디카시

+사랑+사랑+꽃+꽃+꽃

+건강+건강+건강+건강

-아픔-아픔-아픔-아픔

=우리 할머니.